D1105828

RODOLPHE et LEO

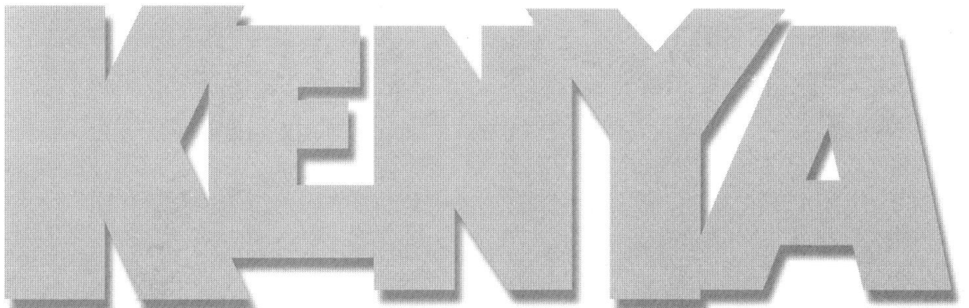

3. ABERRATIONS

Scénario & dessin : Leo
Scénario, découpage & dialogues : Rodolphe
Couleur : Scarlett Smulkowski

PARIS • BARCELONE • BRUXELLES • LAUSANNE • LONDRES • MONTREAL • NEW YORK • STUTTGART

À notre ami Alain Bignon, tombé en pleine trajectoire
et qui a rejoint les ombres de ses amis
Guy Vidal et Jean-Claude Forest.

Résumé

Le Kenya, 1947.

Des phénomènes étranges se produisent en chaîne : observations de soucoupes volantes, apparitions d'animaux monstrueux, surgissement de cubes gigantesques enfouis dans le sol. Les Américains suspectent les Russes de se livrer à des expériences, et les Russes suspectent les Américains... Mais tous, bien sûr, pensent aussi aux extraterrestres, à des visiteurs venus de l'espace ! Mais que viendraient-ils faire ici, au pied du mont Kenya et du Kilimandjaro ? Miss Austin, agent de sa gracieuse majesté, mais encore l'écrivain américain John Remington, et le singulier comte Di Broglie, tous jetés au cœur de la tourmente, tentent toujours de percer ce mystère...

www.dargaud.com

PREMIÈRE ÉDITION

Dépôt légal : juin 2004 • ISBN 2-205-05499-6
Printed in France by PPO Graphic, 93500 Pantin

"AH! L'ARMÉE ANGLAISE!..."

"LES 'GOOD FELLOWS' DE SA GRACIEUSE MAJESTÉ!..."

"LES SENTINELLES DE L'EMPIRE!..."
HALTE!

HALTE! HALTE!

!
"ILS ME FERONT TOUJOURS RIRE!"

EH BIEN, MAJOR, OÙ SOMMES-NOUS?
PAR ICI, SIR. PLUS TRÈS LOIN...
"CE DOIT ÊTRE CELUI-LÀ, LE COLONEL HIGGINS. CELUI QUI S'EST ASSIS SUR UN PARAPLUIE!"
1

"DE TOUTE FAÇON, ILS FONT COMME LA CAVALERIE..."

"ILS ARRIVENT APRÈS LA BATAILLE!"
COMME MOI!

HÉ HÉ! ILS ONT MÊME DEUX BLINDÉS DAIMLER!...
ET DES "BIG JEEPS". MERCI, TONTON ROOSEVELT!

COMBIEN DE TEMPS FAUT-IL?
POUR JOINDRE LE CAMP? DEUX BONNES HEURES ... TROIS PEUT-ÊTRE...

À QUELLE HEURE LA NUIT TOMBE-T-ELLE?
TARD, SIR! TRÈS TARD.
ON A DONC ENCORE TOUT LE TEMPS.

OH! OUI... ET PUIS ROULER À LA FRAÎCHE, CE SERA PLUS SUPPORTABLE QUE DANS CE DAMNÉ CAGNARD!
O.K. : PAUSE, UNE DEMI-HEURE...

ILS S'ARRÊTENT. BIEN...
IL FAUDRAIT QUE JE SACHE QUI ILS EMMÈNENT AVEC EUX... ILS ONT SÛREMENT DES EXPERTS, DES SCIENTIFIQUES...

"... PEUT-ÊTRE ROWLAND?... OU HOWARD?"
EH BIEN, MESSIEURS?
UNE PETITE PAUSE.

EN FAIT : VOTRE MISSION À VOUS, ELLE CONSISTE EN QUOI, EXACTEMENT ?
OH ! ELLE EST TOUT CE QU'IL Y A DE SIMPLE : VOUS PROTÉGER, VOUS ET VOS COLLÈGUES ...

NOUS PROTÉGER DE QUOI ?
DE TOUT !
...MÊME DES PETITES BÊTES SI ELLES VOULAIENT VOUS MANGER !

CE QUI N'A RIEN D'IMPOSSIBLE, VOUS SAVEZ. LES PETITES BÊTES DÉVORENT LES GROSSES ! LES FOURMIS ROUGES NETTOIENT UNE CARCASSE EN QUELQUES HEURES...

...ET IL N'Y A PAS QUE LES FOURMIS, LOIN DE LÀ ! IL Y A TOUTES LES ESPÈCES DE TERMITES, DE VERS...
WELL ! ET SI NOUS CHANGIONS DE SUJET !... CE NE SONT PAS LÀ DES ADVERSAIRES TRÈS DIGNES !

ENCORE QUELQUES MINUTES ET ON POURRA REPARTIR...

GLOOAAK !
?

3

GLOWKK
HA!

NON : NE PAS TIRER ...
RRRR

AAAK
4

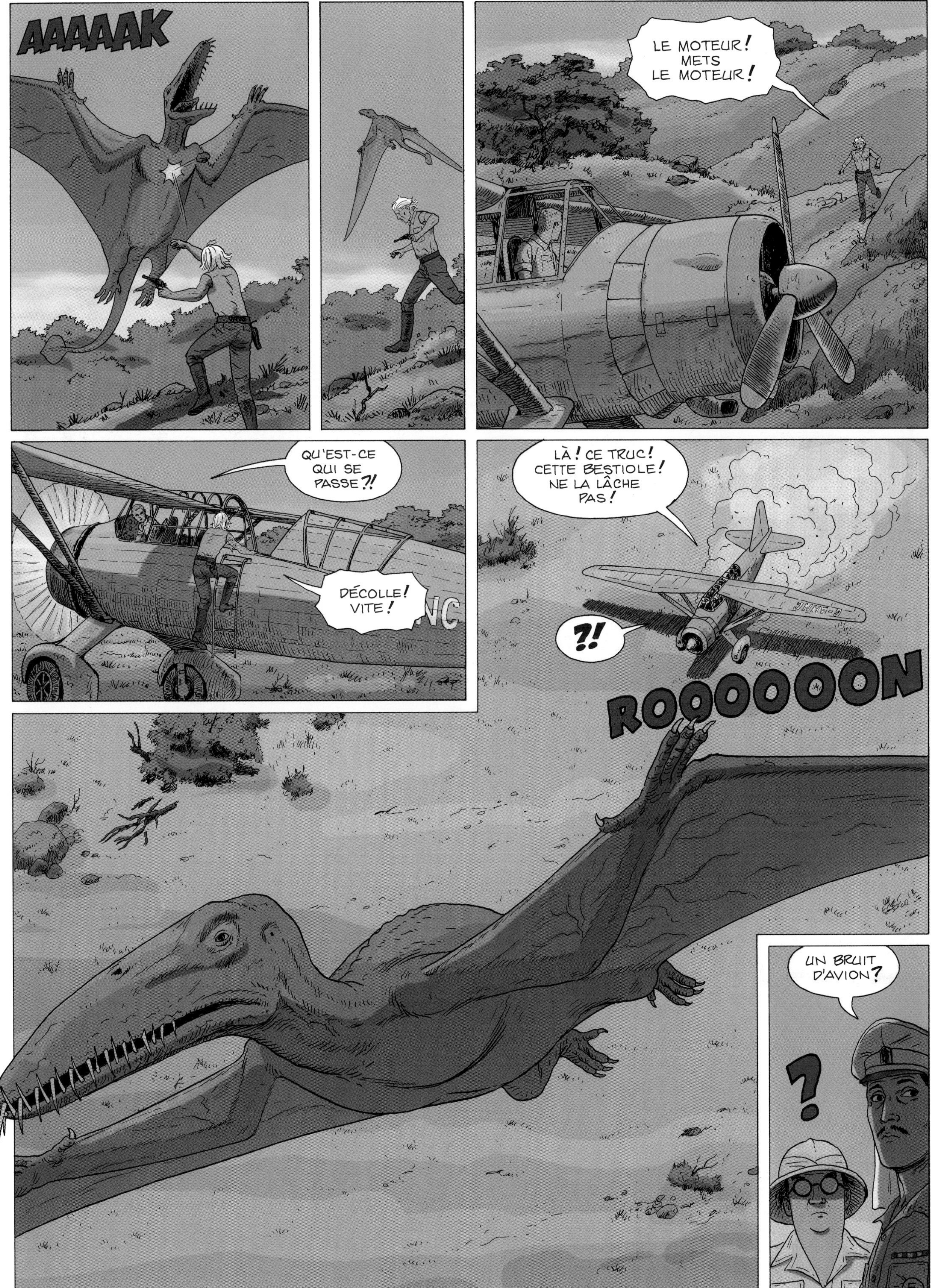
AAAAK
LE MOTEUR! METS LE MOTEUR!
QU'EST-CE QUI SE PASSE?!
DÉCOLLE! VITE!
LÀ! CE TRUC! CETTE BESTIOLE! NE LA LÂCHE PAS!
?!
ROOOOOON
UN BRUIT D'AVION?
?

MOMBASA, KENYA, JUILLET 1947.
...ET NOUS VOICI REVENUS !
OUI. MAIS BEAUCOUP DE CHOSES ONT CHANGÉ, DEPUIS LA DERNIÈRE FOIS...
G-ACNH

IL SE PASSE ICI DES ÉVÉNEMENTS SINGULIERS, SINGULIERS ET DANGEREUX !
J'EN SAIS QUELQUE CHOSE !

...ET PUIS DES INTÉRÊTS POLITIQUES ÉNORMES SONT EN JEU, OU RISQUENT DE L'ÊTRE...

SOYEZ PRUDENTE, KATHY !
J'ESSAIERAI, MON ONCLE !

C'EST ELLE ! LA VOILÀ !

MADEMOISELLE AUSTIN ! CHÈRE COLLÈGUE !
KATHY ! JE SUIS SI HEUREUX !

MOI AUSSI, KONRAD !...
QUELLE CHALEUR, LES ENFANTS ! SI ON ALLAIT PRENDRE UNE CONSOMMATION AU FRAIS ? ON RÉCUPÉRERA LES BAGAGES APRÈS.
6

POUR NOUS, NON: HORMIS VOTRE DÉPART ET LA DISPARITION DE CE PAUVRE MERLIN, RIEN ICI N'A VRAIMENT CHANGÉ...
VOS DEUX POSTES N'ONT BIEN SÛR TOUJOURS PAS ÉTÉ POURVUS...

VOS COLLÈGUES... ENFIN, VOS EX-COLLÈGUES, SE SONT PARTAGÉ VOS CLASSES COMME ILS ONT PU...
VOUS N'AVEZ PAS EU DE PROBLÈME, POUR LA VILLA?

NON, AUCUN. ELLE A ÉTÉ RELOUÉE PRESQUE AUSSITÔT. QUANT À VOTRE VOITURE, MONSIEUR FUCHS S'EN EST OCCUPÉ.
C'EST FAIT. VENDUE. JE VAIS TE DONNER LE CHÈQUE...

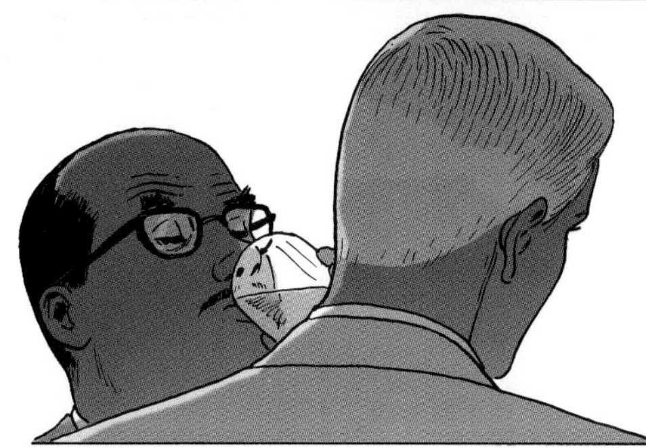
AH! TU AS LES AMITIÉS DE GRABBLE. TU TE SOUVIENS DE LUI? MON AMI PILOTE!
BIEN SÛR!
IL N'A PAS PU VENIR, MAIS...

ÇA N'EMPÊCHE! QUI SE SERAIT DOUTÉ QUE MERLIN ÉTAIT UN AGENT DES RUSSES! UN ESPION!
SON CORPS A ÉTÉ RAPATRIÉ?

NON. SA FAMILLE NE L'A PAS DEMANDÉ. ENFIN, JUSQU'À PRÉSENT. IL REPOSE ICI DANS LE VIEUX CIMETIÈRE...

J'AIMERAIS Y PASSER.
JE T'ACCOMPAGNERAI.
FRESH JUICES

MERCI.
7

PAUVRE JACQUES !...

...QUELLE TERRIBLE JOURNÉE ! J'Y PENSE TOUT LE TEMPS !
MOI AUSSI !

PARFOIS MÊME J'EN RÊVE : JE VEUX DIRE, J'EN FAIS DES CAUCHE-MARS...
TU NE DOIS PAS. TU SAIS BIEN QUE TU N'Y ES POUR RIEN. TU AS ESSAYÉ DE SAUVER TOM, C'EST TOUT.

C'EST TOUT...
MAIS JE L'AI TUÉ.

ET MOI, QUEL IMBÉCILE J'ÉTAIS DE NE COMPRENDRE RIEN À CE QUI SE PASSAIT !... POUR MOI, NOUS ÉTIONS JUSTE TROIS COLLÈGUES, TROIS AMIS !... ET MÊME UN PEU PLUS POUR TOI, KATHY...

UN VÉRITABLE IDIOT, N'EST-CE PAS ?
MOI AUSSI, JE T'AIMAIS BIEN, KONRAD !... J'AIMAIS BIEN JACQUES AUSSI...

LE RESPECT DES DISPARUS VEUT QU'ON NE BAVARDE PAS DEVANT LEUR TOMBE.
?!
8

ON PEUT ÉVENTUELLEMENT PARLER AUX MORTS, C'EST TOUT.

BONJOUR, JACQUES...

BONJOUR, PETIT FRÈRE... TU VOIS : JE SUIS VENUE...

JE SAIS, J'AI TARDÉ. JE SUIS NAVRÉE ! DIEU SAIT POURTANT QUE J'AI PENSÉ À TOI. À TOI ET À TOUTE CETTE HISTOIRE : CETTE FEMME QUI T'A TUÉ...

COMMENT APPELLE-T-ON DÉJÀ CEUX QUI TUENT LEURS SEMBLABLES ? DES ASSASSINS, C'EST CELA ?

HÉ ! ATTENDEZ ! VOUS...
KONRAD, NON !

MAIS JE T'EN FAIS LE SERMENT, PETIT FRÈRE ! TOUT CELA SERA TIRÉ AU CLAIR, ET TON ASSASSIN PAIERA !
9

J'IGNORAIS QUE C'ÉTAIT SA SOEUR... MAIS BIEN SÛR QUE JE LA CONNAIS. JE L'AI TRANSPORTÉE À VOTRE ANCIEN CAMPEMENT AVANT-HIER.
ALI SINGH
INDIAN RESTAURANT

... ELLE A AUSSI VOULU VOIR LE CAMP DES AMÉRICAINS... DÉCIDÉMENT, TOUT ÇA INTÉRESSE BEAUCOUP DE GENS !
C'EST-À-DIRE ?

EH BIEN, IL PARAÎT QUE L'ARMÉE EST EN ROUTE POUR EN PRENDRE POSSESSION... ON PARLE DE MISSION, DE MISSION SCIENTIFIQUE...

ET PUIS IL Y A AUSSI CE DRÔLE DE TYPE QUI EST VENU ME CUISINER ...
ILLANIUS OU QUELQUE CHOSE COMME ÇA... UN TYPE BIZARRE, JEUNE, AVEC DES CHEVEUX TOUT BLANCS...

IL A SON PROPRE APPAREIL. IL A LOUÉ À TONY UNE PARTIE DU VIEUX HANGAR POUR L'ABRITER.
QU'EST-CE QU'IL VIENT FAIRE ICI, CELUI-LÀ ?

ÇA !... IL A DÛ AUSSI ALLER SURVOLER LES TRACES DE L'AMÉRICAIN, ET LES LIEUX OÙ ON A REPÉRÉ CES BÊTES...

À PROPOS DE SURVOL, QUAND POURRIEZ-VOUS M'EMMENER CHEZ LE BARON ?
HÉ ! HÉ ! LE CHARME ARISTOCRATIQUE FAIT SON EFFET ?

EH BIEN... IL FAUT MOI AUSSI QUE J'Y AILLE RAPIDEMENT...
DEMAIN ?
10

LE MÊME SOIR, PLUS AU NORD, DANS LE PALAIS DU COMTE VALENTINO, DIT "LE BARON".
DRÔLE DE TRUC ! ...ET VOUS DITES QU'AVANT IL N'Y AVAIT RIEN ?
RIEN !

RIEN JUSQU'À L'AN DERNIER ! LE MUR ÉTAIT TOUT CE QU'IL Y A DE LISSE, DE NORMAL !
D'OÙ CE MACHIN SORT-IL ? C'EST INCROYABLE !...

ON DIRAIT ... ON DIRAIT QU'IL BOUGE !
TRÈS LÉGÈREMENT, OUI. JE M'EN SUIS RENDU COMPTE À LA MINE...

...LA MINE DE TUBOR DEW, PRÈS D'OÙ JE VOUS AI TROUVÉS. IL Y A UN AUTRE TRUC COMME ÇA, QUI OBSTRUE UNE DES GALERIES...
MVOUAIS ...

DITES DONC, CHER HÔTE, SI NOUS CAUSIONS DE TOUT ÇA AUTOUR D'UNE TABLE ? VOUS N'AVEZ PAS PARLÉ DE DÎNER, TOUT À L'HEURE ?
SI, SI, BIEN SÛR !

AH ! ÇA FAIT DU BIEN ! PAS MAUVAISE, VOTRE TAMBOUILLE ! ET VOTRE VIN NON PLUS, MA FOI !
AU FAIT : VOUS N'AURIEZ PAS UN PETIT DIGESTIF ? UN FOND DE COGNAC OU DE WHISKY ?
ÇA SE PEUT...

C'EST VRAI QUE LA TEMPÉRATURE MONTE... IL FAIT LOURD... IL Y AURA PEUT-ÊTRE UN ORAGE SEC !... ON EN A PARFOIS ICI. SANS UNE GOUTTE D'EAU. C'EST ASSEZ SPECTACULAIRE. ET DUR POUR LES NERFS...
...ET MON WHISKY ?

QUEL SANS-GÊNE, CE TYPE ! ...
BON. CELUI POUR LES INDIGÈNES LUI SUFFIRA !
11

VOUS DÉBARRASSEZ LA TABLE VOUS-MÊME? OÙ SONT PASSÉS VOS DOMESTIQUES?
SI JE LE SAVAIS!

...ILS ONT TOUS FICHU LE CAMP.., SANS ME PRÉVENIR, BIEN SÛR!
PAYS DE FOUS! ...

KRAAAAAAK
HA!

L'ORAGE! JE NE M'ÉTAIS PAS TROMPÉ!
EH BIEN, JUDITH! T'ES TOUTE BLANCHE!

ALLEZ! BOIS DONC UN COUP, ÇA TE RELAXERA!
NON, JOHN, MERCI!

...SINON, J'AI UN AUTRE REMÈDE CONTRE L'HYSTÉRIE! UN REMÈDE DE CHEVAL. HA! HA! HA!
JOHN! NON! JE T'EN PRIE!

IL VOUS EMBÊTE, HEIN?
NON, CE N'EST PAS CELA, C'EST...
OÙ DOIS-JE LES POSER?
12

VOUS SAVEZ, JUDITH, S'IL VOUS ENNUIE, JE SUIS LÀ, IL NE FAUT PAS VOUS LAISSER FAIRE!...
VOUS ÊTES GENTIL.

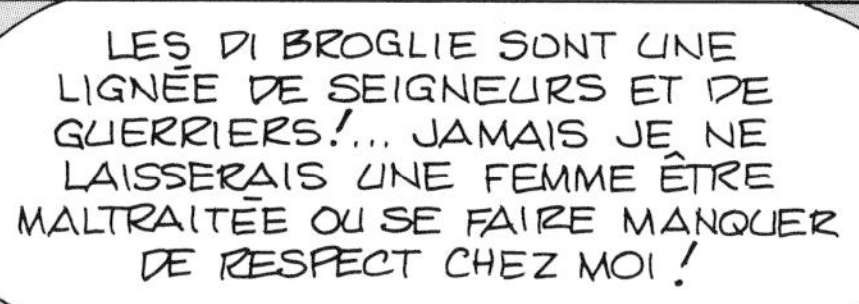
LES DI BROGLIE SONT UNE LIGNÉE DE SEIGNEURS ET DE GUERRIERS!... JAMAIS JE NE LAISSERAIS UNE FEMME ÊTRE MALTRAITÉE OU SE FAIRE MANQUER DE RESPECT CHEZ MOI!

CLAP CLAP CLAP

BELLE TIRADE, MON VIEUX! VOUS DEVRIEZ ÉCRIRE!
LA BOUTEILLE EST VIDE!

NON, NE VOUS DÉRANGEZ PAS, JE TROUVERAI BIEN TOUT SEUL!

AH! VOILÀ LA RÉSERVE!

KRAAAAK

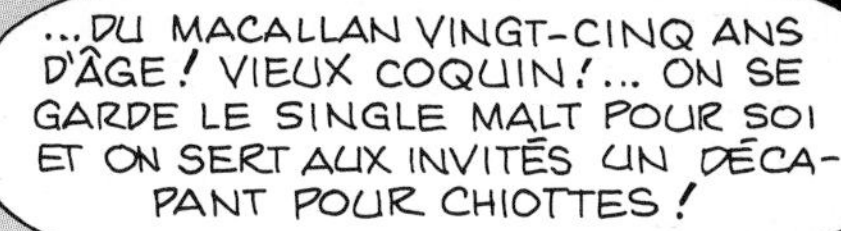
...DU MACALLAN VINGT-CINQ ANS D'ÂGE! VIEUX COQUIN!... ON SE GARDE LE SINGLE MALT POUR SOI ET ON SERT AUX INVITÉS UN DÉCAPANT POUR CHIOTTES!

?!
13

QU'EST-CE QUI SE PASSE?
L'ORAGE?

NON. LE PALAIS FONCTIONNE AVEC UN GROUPE ÉLECTROGÈNE. L'ORAGE N'Y EST POUR RIEN. JE VAIS ALLER VOIR
DONG DONG

ÇA, C'EST LA PORTE D'ENTRÉE!

VOUS ATTENDEZ DU MONDE?
PERSONNE N'HABITE À MOINS DE CINQUANTE KILOMÈTRES, ET IL N'Y A PAS EU DE BRUIT DE VOITURE...,
DONG DONG

JE... IL VAUT MIEUX NE PAS OUVRIR.

DONNEZ-MOI CE CHANDELIER, AU LIEU DE TREMBLER! VOUS DEVEZ BIEN AVOIR DES LAMPES TORCHES QUELQUE PART, NON?

DONG DONG
OUI! ON VIENT! ON VIENT!

ET MERDE! ...

?
14

QUI ÊTES-VOUS ?

KRAAK
ROY ?!

BONJOUR, JOHN.
EH BIEN ? QUI EST-CE ?

ROY ?! MON DIEU ! ...
BONJOUR, JUDITH.

ROY ? C'EST BIEN TOI ?
C'EST BIEN MOI.

QU'EST-CE QUE C'EST QUE CETTE HISTOIRE ?... CE TYPE DISPARAÎT DES SEMAINES EN PLEINE BROUSSE ET REVIENT BRUSQUEMENT COMME ÇA, TOUT SOURIANT, RASÉ DE PRÈS, SANS UNE TACHE À SA VAREUSE !...

DITES DONC, ROY : OÙ AVEZ-VOUS PASSÉ TOUT CE TEMPS ?
OH, NULLE PART EN VÉRITÉ. JE...

NON ! NE ME TOUCHE PAS !

ÉCARTEZ-VOUS ! JE NE SAIS PAS QUI EST CE TYPE, MAIS CE N'EST ASSURÉMENT PAS ROY !
MAIS SI, VOYONS ! JE SUIS TON MARI, JUDITH !
LE MARI ! IL NE MANQUAIT PLUS QUE ÇA !

PAPA !
PAPA !
15

SAINTE VIERGE !
PAPA !
PAPA !

NOOON !
PAPA !
PAPA !

MAIS QUI SONT-ILS ?!
RONALDO ET LUCAS ! MES FILS ! ILS SONT MORTS... IL Y A DIX-HUIT ANS !
HI ! HI ! HI ! HI ! HI !

CLANG
?!

SLASH
HiSSSSS
CELA VIENT DE LA CAVE... IL Y A QUELQUE CHOSE D'ÉNORME DANS LA CAVE !

HiSSSSSS
ELLE VIENT VERS NOUS !
LES MITRAILLEUSES !
HI ! HI ! HI ! HI !

LA LAMPE ! APPROCHEZ LA LAMPE !

CRAAK
16

SAINTE VIERGE!

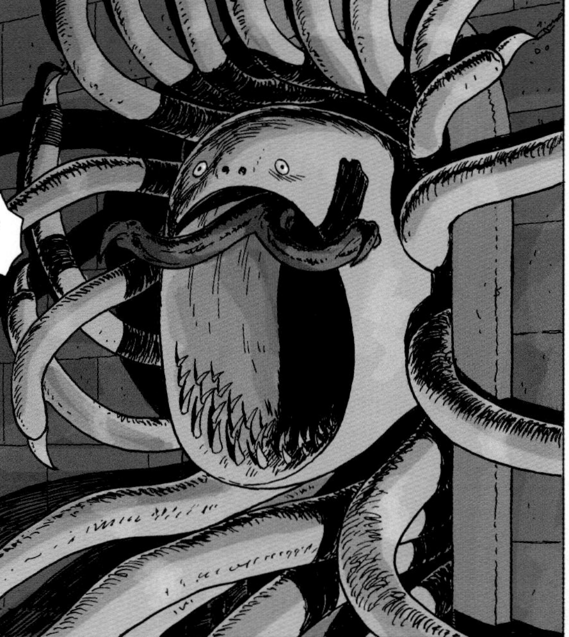

TA-TA
TA-TA-T
TA-TA-TA

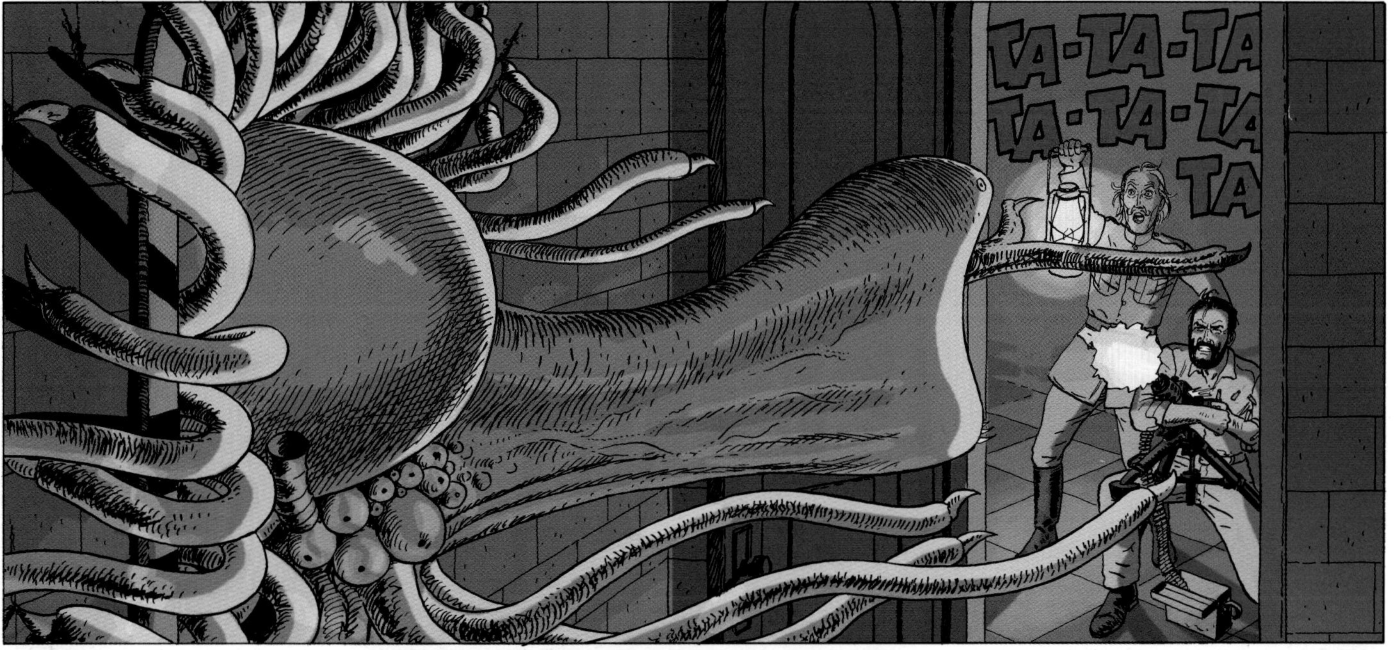
TA-TA-TA
TA-TA-TA
TA

REGARDE, JUDITH, IL Y A QUELQU'UN À L'ENTRÉE...
TA-TA-TA-TA-TA
TA-TA-TA-
HHSSSSS

Hiiiiii!
17

LE LENDEMAIN MATIN...

TIENS? LE BARON NE VIENT PAS NOUS ACCUEILLIR?
IL Y A LONGTEMPS QUE VOUS ÊTES VENU?

D'HABITUDE, JE PASSE TOUS LES DIX JOURS, MAIS LÀ ÇA FAIT UNE PAYE!... J'AI TOUT UN PAQUET DE COURRIER POUR LUI... DES PROVISIONS, AUSSI...
JE VAIS VOUS AIDER...

BARON! OHÉ!
LA PORTE EST OUVERTE...

Y A QUELQU'UN?

?!
MON DIEU! ...

EH BIEN, MON VIEUX! QU'EST-CE QUI VOUS EST ARRIVÉ ?!
ÇA VA?
.....
18

PUIS, CE TRUC INSENSÉ EST SORTI DE LA CAVE EN CASSANT LA PORTE ET JE L'AI CRIBLÉ DE BALLES AVEC LA MITRAILLEUSE !

... ET LÀ, VOUS VOYEZ, LA PORTE EST INTACTE ET PAS UN SEUL IMPACT ! ...
CETTE MITRAILLEUSE N'A PAS ÉTÉ UTILISÉE, C'EST SÛR.

J'AI DONC RÊVÉ TOUT ÇA ?! ...

NON, PAS UN RÊVE : UNE HALLUCINATION COLLECTIVE. L'APPARITION DE ROY, DE MES FILS, DE CES MONSTRES : TOUT CELA N'A ÉTÉ QU'UNE HALLUCINATION COLLECTIVE !
MAIS QU'EST-CE QUI A PU LA PROVOQUER ?

VOUS PENSEZ QUE CETTE HALLUCINATION AURAIT PU ÊTRE SCIEMMENT PROVOQUÉE ? MAIS PAR QUI ? DANS QUEL BUT ?
ON NE VOUS A RIEN VOLÉ ?

QU'EST-CE QU'ON M'AURAIT VOLÉ ?...

?

LA TÊTE ! LA TÊTE DU SINGE ! ELLE N'EST PLUS LÀ !
19

VOILÀ CE QU'ON NOUS A PRIS !
VOUS VOULEZ DIRE QUE...

ET LA CAVE ? VOTRE FICHU MACHIN !...

LE CUBE ! LUI AUSSI A DISPARU !
SAINTE VIERGE !

QUEL CUBE ?
SI JE LE SAVAIS ! PAS PLUS TARD QU'HIER IL Y AVAIT ICI UN TRUC ÉNORME QUI TRAVERSAIT LE MUR...

TOUT CE QUI S'EST PASSÉ CETTE NUIT, C'ÉTAIT DONC UN LEURRE ? PENDANT QUE NOUS ÉTIONS À DIVAGUER, ON ÉVACUAIT CETTE ESPÈCE DE CUBE ET ON NOUS PIQUAIT LA TÊTE DU SINGE...

...LA SEULE PREUVE QUI RESTAIT DE CE QUI S'EST PASSÉ DANS CE FOUTU CAMP !
QUEL CAMP ? CELUI DE L'AMÉRICAIN ? REMINGTON ?

JE SUIS REMINGTON. JOHN REMINGTON. ET VOUS, AU FAIT, QUI ÊTES-VOUS ?
20

...LE VACARME DES TIRS, LA TRÉPIDATION BRUTALE DE LA MITRAILLEUSE, L'ODEUR DE POUDRE : TOUT CELA ÉTAIT D'UN RÉALISME TOTAL !

ÇA VA, MON PETIT ? VOUS VOUS REMETTEZ ?
OUI, OUI... ÇA VA MIEUX...

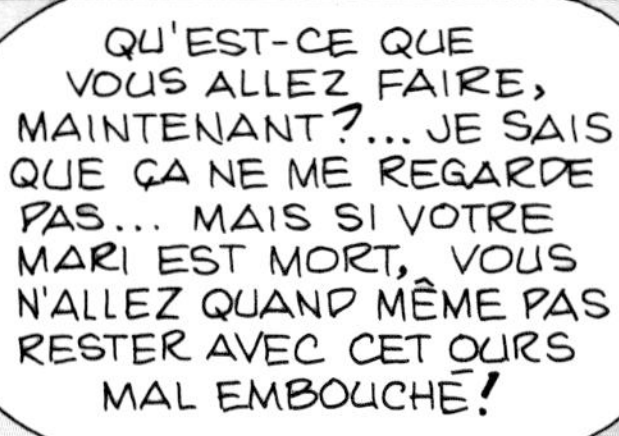
QU'EST-CE QUE VOUS ALLEZ FAIRE, MAINTENANT ?... JE SAIS QUE ÇA NE ME REGARDE PAS... MAIS SI VOTRE MARI EST MORT, VOUS N'ALLEZ QUAND MÊME PAS RESTER AVEC CET OURS MAL EMBOUCHÉ !

VOUS SAVEZ, VOUS POUVEZ RESTER ICI AUTANT DE TEMPS QU'IL VOUS PLAIRA !
JE NE SAIS PAS ... PAS ENCORE ...
C'EST GENTIL ...

JE VOUS AIME BEAUCOUP, JUDITH ! VRAIMENT... PEUT-ÊTRE ME TROUVEZ-VOUS UN PEU VIEUX...
SINON...

SINON ?
EH BIEN, EUH... SI VOUS ÉTIEZ LIBRE, JE...

OH, JUDITH, VOULEZ-VOUS DEVENIR MA FEMME ?
!

HA HA HA HA HA
!

MONSIEUR ! VOTRE ATTITUDE EST OUTRAGEANTE ! VOUS ALLEZ M'EN RÉPONDRE SUR-LE-CHAMP !
21

QUE SE PASSE-T-IL?
IL SE PASSE QUE CE VIEUX LIBIDINEUX ÉTAIT ENCORE EN TRAIN DE CONTER FLEURETTE À JUDITH... ET QU'IL A PRIS LA MOUCHE!

MAIS OÙ EST-IL PASSÉ?
ICI, REMINGTON! JE VOUS ATTENDS!

?

VOUS... VOUS VOULEZ VOUS BATTRE?!
AVEC ÇA?!
SI VOUS N'ÊTES PAS UN LÂCHE!

LÀ, MON VIEUX, VOUS SAVEZ TROUVER LE MOT QU'IL FAUT!
IL Y A CINQ SECONDES J'ÉTAIS PRÊT À PASSER L'ÉPONGE, RAPPORT À VOTRE ÂGE...

... MAIS LÀ, D'ACCORD!
JE VAIS VOUS COUPER EN RONDELLES! C'EST ÇA QUE VOUS CHERCHEZ, HEIN?

EN GARDE, JEUNE PALTOQUET!
HÉ! PAS DE BLAGUE! ARRÊTEZ!

AH... QUE JE VOUS PRÉVIENNE: MON PÈRE ÉTAIT CAPITAINE DES GARDES DE L'EMPEREUR. ON LE DISAIT MEILLEURE LAME DE SON TEMPS.
BLINTZ
IL FUT MON MAÎTRE D'ARMES.
22

NON ! ARRÊTEZ !
ILS SONT FOUS !
À LIER ! ...
BLINT

BLINK

CE VIEUX CON VA VRAIMENT FINIR PAR M'EMBROCHER !

BLINTZ
SHIT !

PAK

NAVRÉ, MON VIEUX, MAIS VOUS ÊTES TROP FORT POUR MOI !... ET JE LAISSERAIS BIEN ENCORE À MES FUTURS BIOGRAPHES UN OU DEUX CHAPITRES À ÉCRIRE !
23

SANS RANCUNE?
MONSIEUR LE BARON! VALENTINO!

MAUDIT AMÉRICAIN! TRICHEUR! ROTURIER! PARVENU! ATTENDEZ QUE JE ME RELÈVE!...
MON DIEU! VOTRE OEIL!

IL FAUT METTRE UNE COMPRESSE! ...JE VAIS EN CHERCHER.
JUDITH, NON! RESTEZ, CE N'EST RIEN.

HÉ!... JE CROIS QUE JE VIENS D'AVOIR UNE IDÉE!
CRÉER UN NOUVEAU SPORT, MI-BOXE MI-ESCRIME?

...À PROPOS DE CETTE NUIT. LES PREUVES QUI ONT DISPARU...
LE BARON NOUS DISAIT HIER SOIR QU'IL Y AVAIT UN AUTRE CUBE QUELQUE PART.

OÙ CA DÉJÀ, BARON? L'AUTRE MACHIN BIZARRE QUE VOUS AVEZ VU? DANS UNE MINE?
MERCI, JUDITH. ÇA VA ALLER.
TUBOR DEW?

LA MINE!... C'EST VRAI QU'IL Y A CELUI-LÀ, ENCORE!

TUBOR DEW : VOUS POUVEZ NOUS Y EMMENER, HANK?
BIEN SÛR.
24

UNE HEURE PLUS TARD...
VOILÀ LA MINE.

DONNEZ-MOI LA MAIN.
MAIS NON! POUSSEZ-VOUS!

AH! FORT CARACTÈRE! ...LE GENRE À QUI ON NE LA FAIT PAS?
ABSOLUMENT!
L'ENTRÉE EST DE CE CÔTÉ.

...A PRIORI, RIEN NE SEMBLE AVOIR BOUGÉ...

L'OBJET MÉTALLIQUE OBSTRUE LA GALERIE DE GAUCHE...

FAITES ATTENTION: LE SOL EST ENCORE BOUEUX...
VOUS NE PROPOSEZ PAS DE ME PORTER?

QUEL HUMOUR, MISS AUSTIN!... ON CROIRAIT LES MARX BROTHERS À VOUS TOUTE SEULE!

MAIS?... CE N'EST PAS POSSIBLE! ...
25

S'IL VOUS PLAÎT ! ...ON NE PEUT PAS SORTIR D'ICI ?... TOUT CE NOIR...

ELLE A RAISON. DE TOUTE FAÇON, JE NE PENSE PAS QUE NOUS APPRENIONS GRAND-CHOSE DE PLUS...

EH BIEN, SHERLOCK HOLMES : ÇA COGITE ?... VOUS AVEZ UNE TÊTE MARRANTE, QUAND VOUS RÉFLÉCHISSEZ COMME...

SPLASH

VOUS FERIEZ MIEUX DE REGARDER OÙ VOUS MARCHEZ.

MAJOR FERGUSON, DE LA SIXIÈME SECTION D'INTERVENTION.
QUE FAISIEZ-VOUS DANS CETTE MINE ?

IGNORIEZ-VOUS QUE C'EST UNE ZONE MILITAIRE, ET QUE LE SITE EST DANGEREUX ?

UNE ZONE MILITAIRE ? AH ? JE... J'AVOUE QUE JE L'IGNORAIS...
JE SUIS LE COMTE VALENTINO DI BROGLIE ... J'HABITE UN PEU PLUS AU NORD, À UNE SOIXANTAINE DE KILOMÈTRES. ON VOUS A PEUT-ÊTRE PARLÉ DE MON PALAIS ?

ET LES AUTRES ? VOUS ?
CES DAMES ET CES MESSIEURS SONT ACTUELLEMENT MES HÔTES AU PALAIS. NOUS ÉTIONS VENUS NOUS PROMENER.
AU FOND D'UNE MINE ?

SOLDATS, VOUS ALLEZ ACCOMPAGNER CES GENS JUSQU'À NOTRE POSTE...
MAJOR, JE PEUX VOUS DIRE UN MOT ?

QUE PEUT-ELLE RACONTER À CETTE VIEILLE BADERNE ? QU'ELLE EST LA NIÈCE DE CHURCHILL ?
ELLE L'EST PEUT-ÊTRE !

TAC-TATAC-TA
TATAC-TAC
27

MAIS QU'EST-CE QU'ILS FONT?! ÇA S'ÉTERNISE!
S'ILS PARLENT AVEC LONDRES, LA TRANSMISSION DOIT PASSER PAR NAIROBI, LE CAIRE, GIBRALTAR... ÇA PREND DU TEMPS!

VOICI LA RÉPONSE, MAJOR!
ENFIN!

C'EST BON: LONDRES CONFIRME QUE VOUS ÊTES DES NÔTRES ...

MAIS IL Y A AUSSI DES ORDRES POUR VOUS.
DES ORDRES ?

MESSIEURS, LE MALENTENDU EST DISSIPÉ: VOUS ÊTES LIBRES!
BONNE NOUVELLE!

VOUS AVEZ LE BRAS LONG, MISS AUSTIN, JE SUIS TRÈS IMPRESSIONNÉ!
HANK, VOUS CONNAISSEZ EVROPA? UN PETIT BOURG À L'EST DE PORT-FLORENCE?

FICHTRE! C'EST SUR LES BORDS DU LAC VICTORIA!
POSSIBLE. VOUS POUVEZ M'Y EMMENER?

PAS COMME ÇA!... C'EST À SIX OU SEPT CENTS KILOMÈTRES!... PLUS LE RETOUR! IL FAUDRAIT QUE JE REPASSE PAR MOMBASA FAIRE DE L'ESSENCE ET QUE JE REVIENNE... ET DEMAIN CE N'EST PAS POSSIBLE!

HMM... C'EST EMBÊTANT! DANS CE CAS...

MAJOR! IL ME FAUT ABSOLUMENT UN VÉHICULE!

UN VÉHICULE?! CE N'EST PAS DU TOUT RÉGLEMENTAIRE, MISS AUSTIN! JE CRAINS QUE...
28

C'EST GENTIL À VOUS DE M'ACCOMPAGNER, MONSIEUR REMINGTON. JE N'AURAIS PAS CRU ÇA...
QUE JE POUVAIS ÊTRE GENTIL?

... ET VOUS AURIEZ RAISON : JE NE SUIS PAS GENTIL ! SI JE VOUS ACCOMPAGNE, CE N'EST NULLEMENT POUR VOUS FAIRE PLAISIR ...
POURQUOI, ALORS ?

ALLEZ SAVOIR!... MA FEMME A ÉTÉ BOUFFÉE PAR CETTE MONSTRUOSITÉ, MON ÉQUIPE A ÉTÉ DÉCIMÉE, J'AI VU DES BESTIOLES INSENSÉES, DES OVNIS, DES FANTÔMES, DES TRUCS DE DINGUE...
... JE NE ME VOIS PAS DE RETOUR À NEW YORK, RENDANT DES COMPTES ET DONNANT DES INTERVIEWS...

MMPFFF
J'AIME MIEUX NOTRE PETIT SAFARI À DEUX AVEC...
!
ATTENTION!

IL NOUS CHARGE ! PIED AU PLANCHER!

NE TIREZ PAS ! JE VAIS LE SEMER !
29

ÇA Y EST, IL LAISSE TOMBER !
?!
ACCROCHEZ-VOUS !

FSSSSSHHH

RROOONNN
ÇA PATINE !
JE VAIS METTRE DES BRANCHES !

C'EST BON !

EH BIEN, VOUS VOYEZ QUE VOUS POUVEZ ÊTRE UTILE !
UTILE, PEUT-ÊTRE, GENTIL, NON !

VOUS AVEZ LU MES LIVRES ?
J'EN AI LU UN.
ALORS?

JE N'AI PAS AIMÉ !
30

(1) SERVICES SECRETS ANGLAIS (2) LE CHASSEUR

LE COLONEL HIGGINS A PRIS POSSESSION DU DERNIER CAMP DE CET AMÉRICAIN. BIEN SÛR IL EST LÀ POUR ESCORTER UNE ÉQUIPE DE SCIENTIFIQUES...

... MAIS ÇA NE DEVRAIT PAS TARDER. MISS AUSTIN EST TOUJOURS TRÈS EFFICACE...

Y A-T-IL EU DE NOUVELLES OBSERVATIONS ?

... LE CALME QUI PRÉCÈDE LA TEMPÊTE ?...

(32)

LE MÊME JOUR, À WASHINGTON...
...NOS AMIS ANGLAIS SE MONTRENT PARTICULIÈREMENT DISCRETS SUR CETTE AFFAIRE, MAIS NOUS SAVONS QU'IL S'EST PASSÉ LÀ-BAS DE DRÔLES DE CHOSES...
GATE B
AUTHORIZED PERSONAL ONLY

LE KENYA? N'EST-CE PAS LÀ QUE PLUSIEURS DE NOS RESSORTISSANTS ONT DISPARU RÉCEMMENT?
LORS D'UN SAFARI, C'EST ÇA?
AVEC CE TYPE, CET ÉCRIVAIN...

ILS VIENNENT D'ÊTRE RETROUVÉS. UNE PARTIE D'ENTRE EUX TOUT AU MOINS...
CELA NOUS DONNERA D'AILLEURS PEUT-ÊTRE UN MOYEN LÉGAL D'AGIR.

MAIS CES INFORMATIONS DONT VOUS PARLEZ : ELLES FONT ÉTAT DE QUOI, AU JUSTE?
D'APPARITIONS D'ANIMAUX INCONNUS ET D'OVNIS. PRINCIPALEMENT.

ENCORE!
OH NON, PAS LES SOUCOUPES VOLANTES! PAR PITIÉ! JE N'EN PEUX PLUS!

DITES-LE-LEUR, MON VIEUX!
À QUI?
PARDI! AUX PETITS HOMMES VERTS QUI LES PILOTENT!

CONWAY A RAISON! NOUS SOMMES LÀ POUR PARLER DE CHOSES SÉRIEUSES! PAS DE SOUCOUPES VOLANTES ET DE SPIRITISME!
33

... DES "CHOSES SÉRIEUSES"? MAIS QUE FAITES-VOUS DES CENTAINES DE TÉMOINS QUI LES ONT FAITES, CES OBSERVATIONS?
CE QUE J'EN FAIS? C'EST SIMPLE : JE LES EMMÈNE CHEZ LE PSYCHIATRE SE FAIRE SOIGNER AU PLUS VITE! DE L'HYSTÉRIE, ÇA S'APPELLE!

ET VOUS, MONSIEUR, QU'EN PENSEZ-VOUS?
RIEN. UN ESPRIT SCIENTIFIQUE N'A QUE FAIRE DES CREDO, QUELS QU'ILS SOIENT.

J'OBSERVE, JE COLLECTE, JE COMPARE, J'ESSAIE DE COMPRENDRE.
MAIS QU'EN EST-IL RÉELLEMENT DE CES HISTOIRES DE SOUCOUPES?

J'AI PRÉPARÉ À VOTRE ATTENTION QUELQUES DIAPOSITIVES...
ALLEZ-Y, BERT.

BIEN ÉVIDEMMENT, DES ILLUMINÉS, IL Y EN A EU DE TOUT TEMPS, ET IL Y EN A ENCORE, C'EST VRAI! LES PREMIÈRES APPARITIONS D'OVNIS REMONTERAIENT, DIT-ON, À L'ANTIQUITÉ...
OFF
ON

MAIS NOUS ASSISTONS DEPUIS QUELQUES MOIS, ET MÊME PLUS PRÉCISÉMENT QUELQUES SEMAINES, À UN PHÉNOMÈNE QUE NI LES NÉVROSES NI L'HYSTÉRIE QU'ÉVOQUAIT LE COLONEL NE ME SEMBLENT EXPLIQUER SUFFISAMMENT...
DEPUIS LE DÉBUT DE L'ANNÉE, 18 CAS SÉRIEUX ONT ÉTÉ RÉPERTORIÉS ET SONT À L'ÉTUDE. 7 SUR LE SEUL MOIS DERNIER.
10 JUIN, À 23 HEURES, À DOUGLAS, ARIZONA, MADAME CORAL LORENZON ASSISTE AU DÉCOLLAGE D'UNE SPHÈRE ET À SA DISPARITION DANS LES ÉTOILES.
34

"LE 21, À L'ÎLE MAURY, PRÈS DE TACOMA, C'EST UNE DIZAINE DE PERSONNES (NOUS AVONS LEUR IDENTITÉ) QUI ONT ASSISTÉ AU PASSAGE À BASSE ALTITUDE DE SIX OBJETS..."

"SIX JOURS PLUS TARD, LE 27, PLUSIEURS HABITANTS DE SPOKANE - C'EST PAS LOIN D'ICI - ASSISTENT AU PASSAGE GROUPÉ DE HUIT ENGINS. CETTE PHOTO A ÉTÉ FAITE PAR UNE FEMME ALORS QUE L'UN DES APPAREILS PASSAIT AU-DESSUS DE SA MAISON."

MAIS, MONSIEUR, EXCUSEZ-MOI... SANS REMETTRE EN CAUSE LA BONNE FOI DES TÉMOINS, ILS POUVAIENT TRÈS BIEN AVOIR MAL INTERPRÉTÉ UN PHÉNOMÈNE NATUREL... LES PHOTOS SONT SI IMPRÉCISES!... JE NE SAIS PAS, MOI : UN AVION À RÉACTION, UNE MÉTÉORITE, UN NUAGE DE FORME ÉTRANGE...

BAXTER A RAISON! ...
MESSIEURS, JE VOUS EN PRIE : LAISSEZ-MOI CONTINUER.

...NOUS ÉTIONS AU 27 JUIN. LE 30, DANS LE GRAND CANYON, PRÈS DE WILLIAMS FIELD, DEUX OBJETS PLONGENT POUR ATTERRIR UN PEU PLUS LOIN. LE TÉMOIN SEMBLE DIGNE DE FOI : IL EST LIEUTENANT DE NOTRE MARINE.

35

"UN AUTRE TÉMOIN QUI SEMBLE TOUT AUSSI SÉRIEUX. J'AI SON IDENTITÉ MAIS JE N'AI PAS LE DROIT DE LA DIVULGUER. IL EST COMMANDANT D'AVIATION... SON TÉMOIGNAGE EST TRÈS PROCHE DU PRÉCÉDENT..."

"...IL ÉTAIT SUR L'AÉRODROME DE MUROC QUAND IL A VU CET ENGIN ARRIVER À UNE VITESSE FULGURANTE, PUIS REPARTIR DE MÊME !"

CE DERNIER TÉMOIGNAGE EST D'AUTANT PLUS INTÉRESSANT QU'IL EST CONFIRMÉ PAR UN SECOND TÉMOIN. UN AUTRE MILITAIRE, CAPITAINE DE MARINE CELUI-CI, QUI A OBSERVÉ LA SCÈNE DE DRY LAKE.

LUKE'S

BON, D'ACCORD, ADMETTONS L'HONNÊTETÉ DES TÉMOINS. DE CERTAINS TÉMOINS. MAIS QUI DIT SOUCOUPE VOLANTE NE DIT NULLEMENT EXTRATERRESTRES ! IL PEUT Y AVOIR D'AUTRES TECHNOLOGIES AVANCÉES...
LES RUSSES ?
AH, LES RUSSES ! ...
BIEN SÛR QU'ON Y PENSE !
36

C'EST DRÔLE ...
QU'EST-CE QUI EST DRÔLE ?

D'HABITUDE, CE QUE LES AUTRES PENSENT DE MOI, JE M'EN CONTREFOUS...

... MAIS LÀ, NON. JE NE SAIS PAS POURQUOI. PEUT-ÊTRE CE QUE VOUS AVEZ DIT...
PAUVRE PETIT !

OH, VOUS POUVEZ VOUS FOUTRE DE MOI ! D'AILLEURS VOUS N'AURIEZ PAS TORT !... EN FAIT JE CROIS N'AVOIR JAMAIS EU AFFAIRE À DES FEMMES COMME VOUS...

ELLES SONT COMMENT, LES "FEMMES COMME MOI" ?

VOUS ME PLAISEZ, KATHY ! VOUS ME PLAISEZ FOUTREMENT ! JE SAIS QUE VOUS N'AIMEZ SÛREMENT PAS QU'ON VOUS DISE ÇA, MAIS JE VOUS TROUVE RUDEMENT ... SACRÉMENT... ENFIN, ET PUIS VOTRE PUTAIN DE PETIT CARACTÈRE ! TOUT ÇA...

VOUS IMAGINEZ CE QU'ON DONNERAIT, TOUS LES DEUX ENSEMBLE ? ON SOULÈVERAIT DES MONTAGNES !
NON. JE N'IMAGINE PAS.

LE VOILÀ, LE VICTORIA !
ENFIN !
37

UN VILLAGE!
IL ÉTAIT TEMPS! ON N'A PRESQUE PLUS D'ESSENCE!

ÇA M'ÉTONNERAIT QU'IL Y AIT UNE POMPE À ESSENCE!... ET ENCORE MOINS UN HÔTEL!

...HÔTEL? NON. MAIS TU DORMIR CHEZ MOSSU, AU-DESSUS DU MAGASIN.
OUI, ESSENCE AUSSI.

...EH BIEN! C'EST PAS SI MAL QUE ÇA!

...PRESQUE UN VRAI LIT ET PAS TROP D'INSECTES! ...
ET DEUX CHAMBRES SÉPARÉES. C'EST LE RÊVE!

DITES : JE CHERCHE UN HOMME, UN BLANC, QUI A DÛ ARRIVER ICI IL Y A QUELQUES JOURS...
UN BLANC TOUT BLANC? AVEC CHEVEUX DE VIEIL HOMME?

OUI, C'EST ÇA. OÙ EST-IL?
LÀ-BAS, AU NORD, DERRIÈRE LA POINTE, À 10 OU 12 MILES ...

ET POUR SE LAVER ET... VOUS SAVEZ, LES TOILETTES?
CABINETS AU FOND DE LA COUR. POUR SE LAVER, IL Y A LE LAC.
AH, CE N'EST PAS LE RITZ, C'EST SÛR!...
38

QUEL ENDROIT ÉTRANGE... CE SILENCE...

...CETTE EAU NOIRE ME FAIT PENSER À CETTE PIERRE... NOIRE ELLE AUSSI, ET BRILLANTE... COMMENT S'APPELLE-T-ELLE?
L'OBSIDIENNE?

VOILÀ.
"L'OBSIDIENNE", C'EST JUSTEMENT LE TITRE D'UN AUTRE DE MES BOUQUINS.

UNE HISTOIRE QUI VOUS PLAIRAIT PEUT-ÊTRE DAVANTAGE: LE PERSONNAGE PRINCIPAL, LÀ, C'EST UNE FEMME...
...ENCORE QUE...! À SA FAÇON, ELLE AUSSI ME RESSEMBLE! ...

ON SE MET TOUJOURS DANS CE QU'ON ÉCRIT, VOUS SAVEZ... J'IMAGINE QUE...
?

QU'AVEZ-VOUS?
LÀ-BAS... J'AI BIEN CRU VOIR...

LÀ!

39

?

PLOOSH

IL NE RÉAPPARAÎT PLUS...

QU'EST-CE QUE CELA POURRAIT BIEN ÊTRE ?
JE N'EN SAIS RIEN...
40

LE LENDEMAIN MATIN.
ILS SONT TROIS. UN AUTRE HOMME ET UNE FEMME. MOSSU LES A VUS AVANT-HIER. ILS VENAIENT PRENDRE DES PROVISIONS.

VOUS SAVEZ OÙ ILS SONT ?
PAS PRÉCISÉMENT. MAIS ILS NE DOIVENT PAS ÊTRE TRÈS LOIN. FAUTE DE QUOI, ILS IRAIENT PLUS AU NORD POUR LEURS COURSES...

ARRÊTEZ !... ARRÊTEZ UNE MINUTE ! LÀ !

IL Y A EU UN CAMP... IL RESTE DES TRACES DU FEU...
ET LES EMPLACEMENTS DE DEUX TENTES, AUSSI.

ILS SERAIENT DONC REPARTIS ! ZUT !... COMMENT SAVOIR OÙ ILS SONT MAINTENANT ?
ILS ONT PEUT-ÊTRE SIMPLEMENT CONTINUÉ À LONGER LE LAC ?

...EN TOUT CAS, BRAVO POUR LE COUP D'OEIL ! MOI, JE N'AVAIS RIEN VU.
VOUS M'ÊTES DÉCIDÉMENT TRÈS UTILE, VOUS VOYEZ !

...VOUS NOTEREZ QUE JE DIS "UTILE" ET NON "AGRÉABLE" !
VOUS NE POUVEZ PAS OUBLIER 5 MINUTES LES CONNERIES QUE JE VOUS AI RACONTÉES ?

AH ! KATHY, SI UN JOUR...
OUI ?
RIEN... RIEN...
41

BON SANG! ÇA Y EST: LE CIMETIÈRE! LA SOEUR DE JACQUES!... QU'EST-CE QU'ELLE FABRIQUE ICI AVEC CES TYPES?

ELLE AUSSI TRAVAILLERAIT POUR LES SOVIÉTIQUES? COMME SON FRÈRE? ET LES DEUX AUTRES, ALORS?...

JE ME DEMANDE VRAIMENT CE QU'ILS FICHENT. ON DIRAIT QU'ILS ATTENDENT...

42

AU MÊME INSTANT, UN PEU PLUS À L'EST...

AMIS À TOI !

ILS REVIENNENT...
ILS REVIENNENT ENFIN !

ELLES NE DEVRAIENT PAS TARDER...

KATHY ! REGARDEZ !
43

ELLES SE SONT IMMOBILISÉES ...
JOHN, REGARDEZ ! LÀ, AU FOND !

MON DIEU !

44

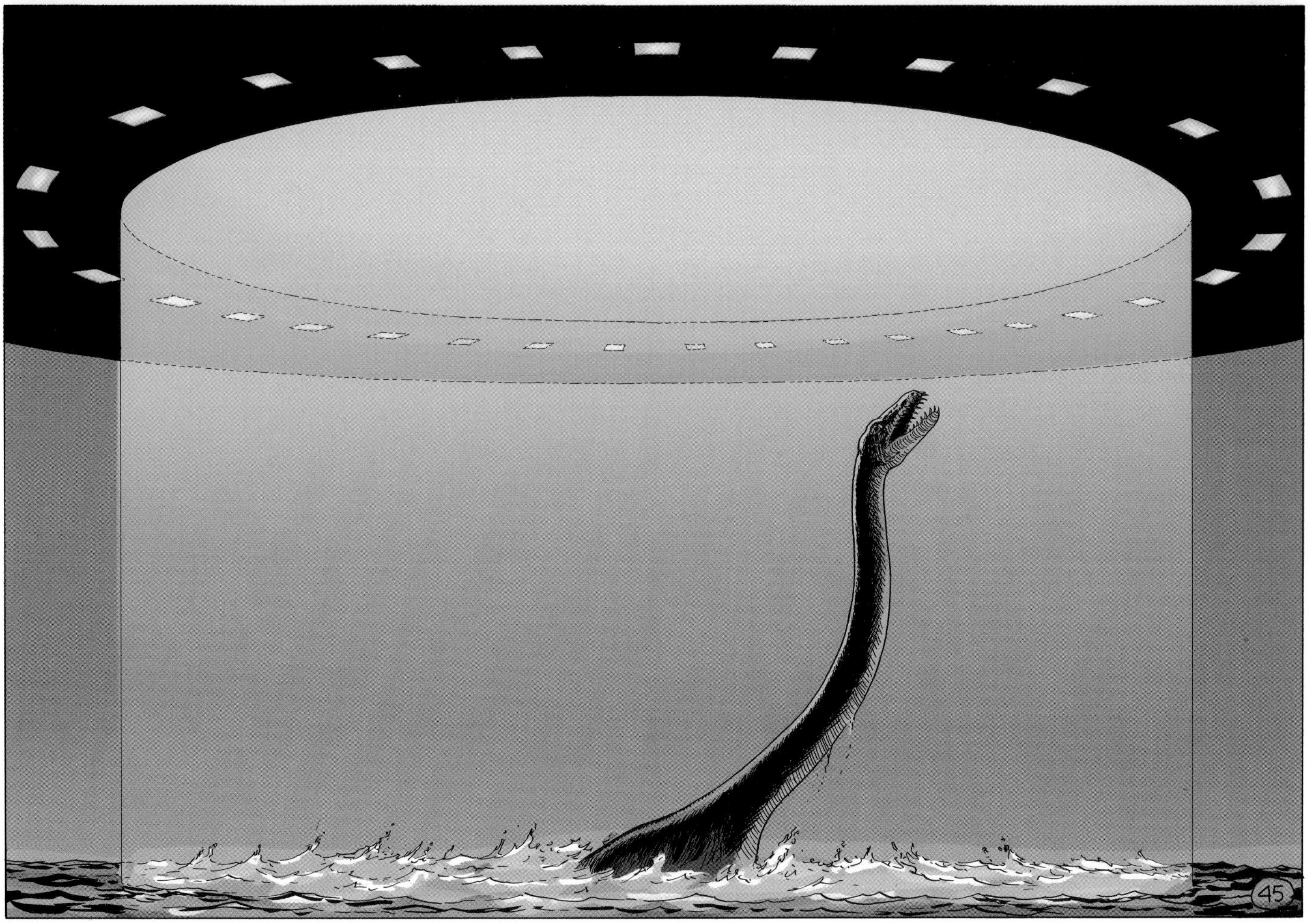

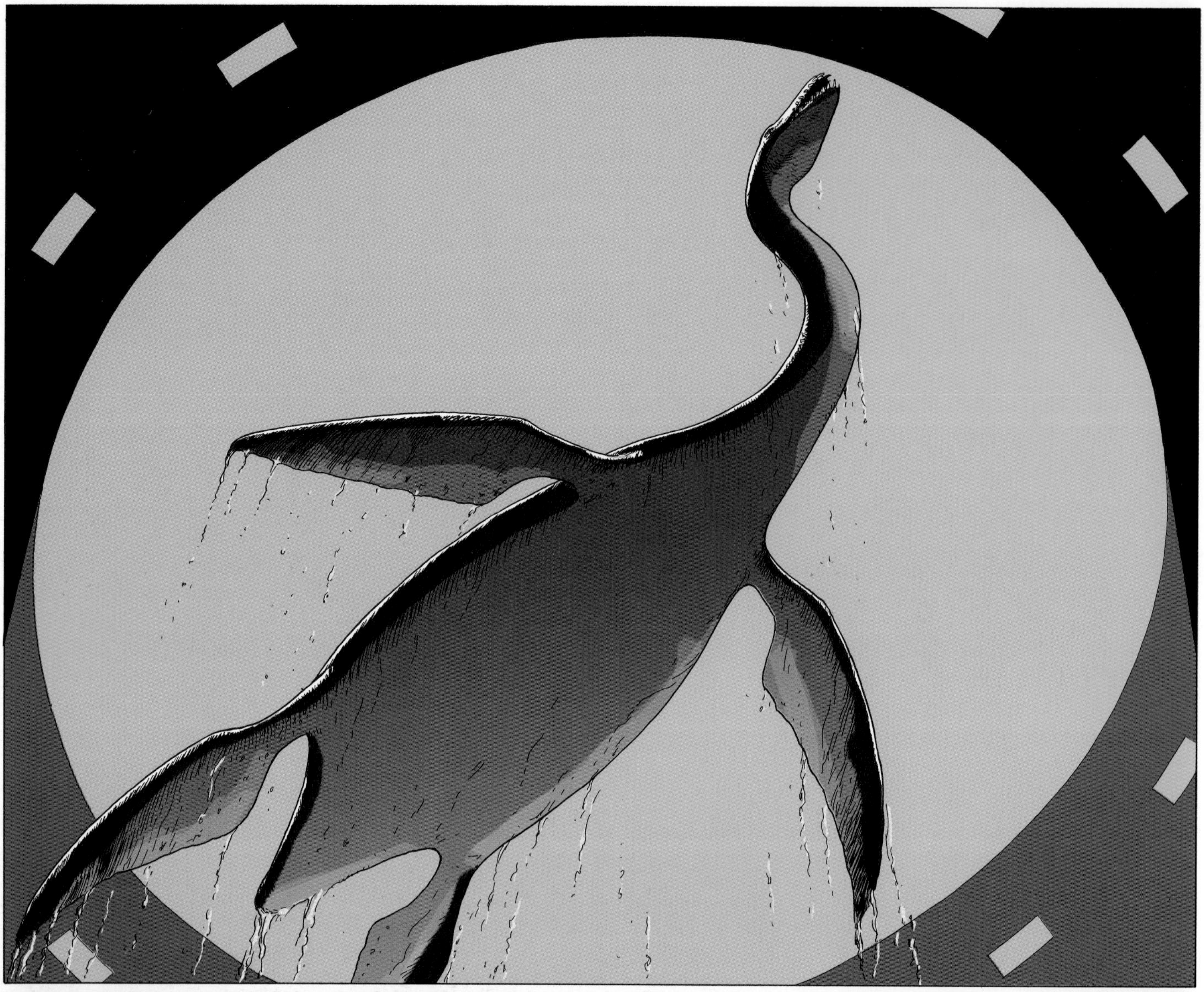

L'INSTANT D'APRÈS, TOUT AVAIT DISPARU...
46

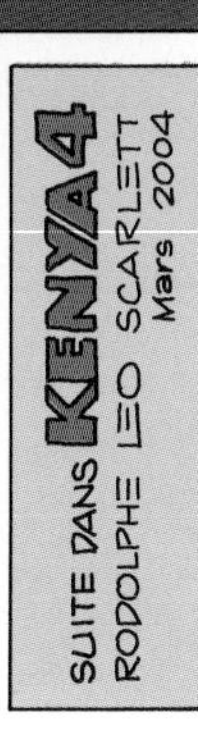

SUITE DANS KENYA 4
RODOLPHE LEO SCARLETT
Mars 2004

TITRES DISPONIBLES

Kenya T.1, *Apparitions*

Kenya T.2, *Rencontres*

Kenya T.3, *Aberrations*

À PARAÎTRE

Kenya T.4

DES MÊMES AUTEURS

Trent — 8 Tomes

LEO

LES MONDES D'ALDÉBARAN
8 Tomes :

Aldébaran - 5 Titres

Bételgeuse - 4 Titres

Dexter London - 2 Tomes (Dessin de Garcia)

RODOLPHE

Cliff Burton - 9 Tomes (Dessin de Garcia & Durand)

L'autre monde - 2 Tomes (Dessin de Magnin). Disponible en intégrale.

Mary la noire - 2 Tomes (Dessin de Magnin). Disponible en intégrale.

La voix des anges - 2 Tomes (Dessin de Bignon).